C'EST LE JEU !

À mon Erik, qui sait tout arranger
— même les mauvais moments.
— S. A.

© 2012 Les Publications Modus Vivendi inc. pour l'édition française
© 2012 Disney Enterprises, Inc. Tous droits réservés.

Publié par Presses Aventure, une division de
Les Publications Modus Vivendi Inc.
55, rue Jean-Talon Ouest, 2e étage
Montréal (Québec) H2R 2W8
CANADA
www.groupemodus.com

Éditeur : Marc Alain

Publié pour la première fois en 2012 par Random House
sous le titre original *Game On!*

Traduit de l'anglais par Emie Vallée

Dépôt légal — Bibliothèque et Archives nationales du Québec, 2012
Dépôt légal — Bibliothèque et Archives Canada, 2012

ISBN 978-2-89660-491-3

Nous reconnaissons l'aide financière du gouvernement du Canada par l'entremise
du Fonds du livre du Canada pour nos activités d'édition.

Gouvernement du Québec — Programme de crédit d'impôt pour l'édition de livres
— Gestion SODEC

Imprimé au Canada

C'EST LE JEU!

Écrit par Susan Amerikaner

Illustré par les artistes de Disney Storybook

Ralph et Felix vivent
dans un jeu vidéo.
Ralph détruit des choses.
C'est son boulot.

Felix répare tout

avec son marteau magique.

Les méchants n'ont
pas de médailles.
Ralph veut être un gentil.

Un jour, Ralph va
dans un autre jeu vidéo.

Il gagne une médaille !

Puis, Ralph va
à <u>Sugar Rush</u>.

C'est un jeu de course
dans un monde
de bonbons.

Une petite fille vole
la médaille de Ralph.
C'est Vanellope, elle est
dans un arbre.

Ralph grimpe dans l'arbre.

Il veut ravoir sa médaille.

Vanellope veut faire
la course de <u>Sugar Rush</u>.
Il lui faut une pièce d'or.
Elle veut prendre
la médaille de Ralph.

Le vainqueur aura
toutes les pièces d'or,
avec la médaille de Ralph !

Les autres coureurs
ne veulent pas
de Vanellope.

Ils sabotent sa voiture.

Ils la jettent dans la boue.

Ralph les chasse.

Il va aider Vanellope

à gagner la course.

Après, Ralph pourra

retrouver sa médaille !

Ralph et Vanellope fabriquent une nouvelle voiture de course.

Sa Sucrerie veut tromper Ralph. « Vanellope pourrait se blesser dans la course ! » dit Sa Sucrerie.

Ralph ne va pas laisser
courir Vanellope !
Le roi lui redonne
sa médaille d'or.

Vanellope donne
une médaille à Ralph.
Elle l'a faite pour lui !

Ralph veut protéger Vanellope.

Il détruit sa voiture.

Ainsi, pas de course !

Il ne faut pas qu'elle se blesse.

Vanellope est triste.
Sa Sucrerie l'enferme
à double tour.

Ralph défonce le mur.

Il libère Vanellope.

Felix arrive
à <u>Sugar Rush</u>.
Ralph et lui réparent
la voiture de Vanellope.

Elle gagne la course !

Vanellope se change
en princesse !
C'est l'unique princesse
de <u>Sugar Rush</u>.

Mais Vanellope veut
rester fidèle à elle-même.
Elle remercie Ralph.

Ralph repart
dans son jeu.
Il n'a pas besoin
de médaille pour
être un gentil !